Savta

Jonathan and the Waves

יוֹנָתָן וְהַגַּלִּים

by Shira Sheri מֵאֵת שִׁירָה שֶׁרִי

Milk & Honey Press
Denver, Colorado

One summer morning Jonathan and his family were having fun at the beach.
Dad sat and read his newspaper. Mom nursed little Lilly.
Gali, Jonathan's big sister, had found a new friend
and was playing ball with him.
Jonathan was busily building a big sand castle
for his toy soldiers who went everywhere with him.

זֶה קָרָה בְּבֹקֶר קֵיצִי אֶחָד, כְּשֶׁיּוֹנָתָן וְהַמִּשְׁפָּחָה שֶׁלּוֹ בִּלּוּ בְּחוֹף הַיָּם. אַבָּא יָשַׁב וְקָרָא עִתּוֹן, אִמָּא הֵינִיקָה אֶת לִילִי הַקְּטַנָּה וְגַלִי, הָאָחוֹת הַגְּדוֹלָה, מָצְאָה לָהּ חָבֵר חָדָשׁ לְשַׂחֵק אִתּוֹ בְּכַדּוּר. יוֹנָתָן הָיָה שָׁקוּעַ בִּבְנִיַּת אַרְמוֹן גָּדוֹל מֵחוֹל, לְחַיָּלֵי הַמִּשְׂחָק שֶׁלּוֹ שֶׁאוֹתָם הָיָה לוֹקֵחַ אִתּוֹ לְכָל מָקוֹם.

"Jonathan, aren't you going into the sea?" asked Mom.

Jonathan was a bit scared to go into the sea alone. What if the sea monster who lurked under the waves got angry and started waving his arms about? Then the waves would churn and crash!

"יוֹנָתָן, אַתָּה לֹא נִכְנָס לַמַּיִם"? שָׁאֲלָה אִמָּא.

יוֹנָתָן קְצָת פָּחַד לְהִכָּנֵס לַמַּיִם לְבַדּוֹ.

הוּא חָשַׁב, שֶׁמִּתַּחַת לַגַּלִּים מִסְתַּתֶּרֶת

מִפְלֶצֶת-יָם עִם הֲמוֹן זְרוֹעוֹת

וּכְשֶׁהִיא כּוֹעֶסֶת הִיא מְזִיזָה אוֹתָם בְּחָזְקָה,

וְלָכֵן הַגַּלִּים גּוֹעֲשִׁים וּמִתְנַפְּצִים.

"I want you to come
with me," answered Jonathan.
"I'm nursing Lilly right now.
Ask Dad to go with you."

"I want to rest a bit," said Dad."
Gali is already in the water. Go
and join her. She'll look after you."

"אֲנִי רוֹצֶה שֶׁתָּבוֹאִי אִתִּי" בִּקֵּשׁ יוֹנָתָן.
"אֲנִי מֵינִיקָה אֶת לִילִי עַכְשָׁו,
אוּלַי תְּבַקֵּשׁ מֵאַבָּא שֶׁיֵּלֵךְ אִתְּךָ?"

"אֲנִי רוֹצֶה קְצָת לָנוּחַ..." אָמַר אַבָּא,
"אֲבָל גַּלִּי כְּבָר בַּמַּיִם, הִכָּנֵס אִתָּהּ,
הִיא תִּשְׁמֹר עָלֶיךָ."

Jonathan put on his swim ring and walked to the water's edge. "Gali!!!!" he called.
Gali, who was far away, shouted back, "Come on in, Jonathan! Come into the sea!"

יוֹנָתָן שָׂם עַל מָתְנָיו אֶת הַגַּלְגַּל הַמִּתְנַפֵּחַ וְהָלַךְ אֶל הַמַּיִם.

"גַּלִי!!!" קָרָא יוֹנָתָן.

גַּלִי, שֶׁהָיְתָה רְחוֹקָה, צָעֲקָה לוֹ בַּחֲזָרָה "בּוֹא יוֹנָתָן, הִכָּנֵס לַמַּיִם!"

Jonathan took a step forward. But exactly at that second, a huge wave crested with white foam, roared up and drenched him up to his waist. Jonathan almost fell in the water. Lucky he had his swim ring! Frightened, he ran back up the beach.

"I'm scared to go in alone!" he called, dripping water.

"Come on! I'm waiting for you here!" shouted Gali jumping in the water.

Jonathan didn't know what to do. He was scared of the waves. What if the monster came?

"I'm scared! I want you to help me!"

"Ask God to help you," called Gali.

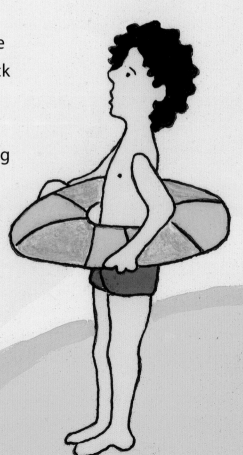

יוֹנָתָן הִתְקָרֵב אֶל הַמַּיִם וּבְדִיּוּק אָז בָּא גַּל עִם קֶצֶף לָבָן וְשָׁטַף אוֹתוֹ עַד לַמָּתְנַיִם.

יוֹנָתָן כִּמְעַט נָפַל לַמַּיִם, מַזָּל שֶׁהָיָה לוֹ גַּלְגַּל הַצָּלָה! הוּא נִבְהַל מְאֹד וְרָץ חֲזָרָה אֶל הַחוֹף.

"אֲנִי פּוֹחֵד לְהִכָּנֵס לְבַד!" הוּא קָרָא כְּשֶׁכֻּלּוֹ נוֹטֵף מַיִם.

"נוּ בּוֹא כְּבָר, אֲנִי מְחַכָּה לְךָ כָּאן!" קָרְאָה גַּלִּי שֶׁקִּפְּצָה בֵּין הַגַּלִּים.

יוֹנָתָן לֹא יָדַע מָה לַעֲשׂוֹת, הוּא פַּחַד מְאֹד מֵהַגַּלִּים.

וְאִם תָּבוֹא הַמִּפְלֶצֶת? הוּא הָיָה מֻדְאָג.

"אֲנִי פּוֹחֵד,

אֲנִי רוֹצֶה שֶׁתַּעַזְרִי לִי."

"תְּבַקֵּשׁ מֵאֱלֹקִים שֶׁיַּעֲזֹר לְךָ"

קָרְאָה גַּלִּי.

"God will help me?" thought Jonathan. "Grownups are always
saying that, but who is God? Where will I find Him now?"
Gali was far away already. Mom and Dad were busy.
"So who'll come into the sea with me,"
wondered Jonathan.
"Maybe God can really come with me?"

"Where's God?" he called to Gali.
Gali laughed. "In the sky, silly,"
and went back to her game in
the waves.

"אֱלֹקִים יַעְזֹר לִי?" חָשַׁב יוֹנָתָן לְעַצְמוֹ. "הַגְּדוֹלִים תָּמִיד אוֹמְרִים אֶת זֶה, אֲבָל מִי זֶה אֱלֹקִים? וְאֵיפֹה אֲנִי אֶמְצָא אוֹתוֹ עַכְשָׁו?" גַּלִי כְּבָר הָיְתָה רְחוֹקָה, אִמָּא וְאַבָּא הָיוּ עֲסוּקִים.

"אָז מִי יִכָּנֵס אִתִּי לַמַּיִם? חָשַׁב יוֹנָתָן, אוּלַי בֶּאֱמֶת אֱלֹקִים יָבוֹא אִתִּי?"

"אֵיפֹה אֱלֹקִים?" שָׁאַל יוֹנָתָן אֶת גַּלִי.

גַּלִי צָחֲקָה וְעָנְתָה, "בַּשָּׁמַיִם, טִפְּשׁוֹן!" וְהִמְשִׁיכָה לְשַׂחֵק בֵּין הַגַּלִּים.

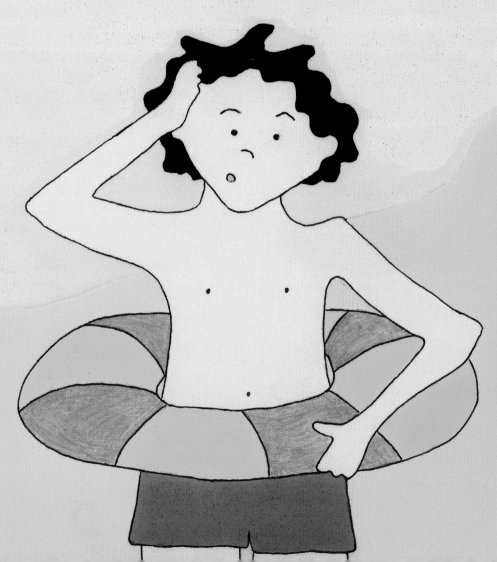

In the sky?! That's a bit tricky... How can Jonathan reach the sky?

בַּשָּׁמַיִם!? זֶה קְצָת מְסֻבָּךְ... אֵיךְ יַגִּיעַ יוֹנָתָן לַשָּׁמַיִם?

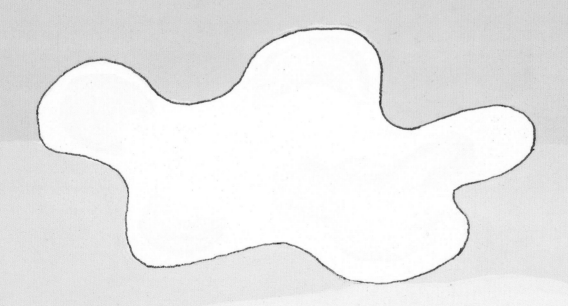

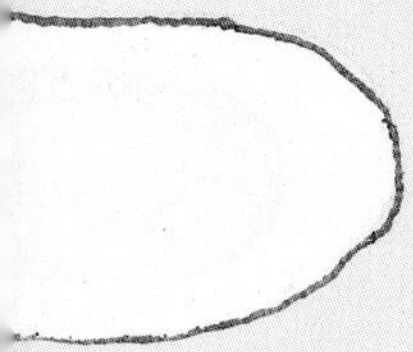

"Mommy," asked Jonathan, "how can I reach the sky?"
"Jonathan, honey, why do you need to reach the sky?"
"Gali said God is in the sky and He'll come in the sea and look after me."
Mom smiled. "Jonathan my love, you can find God everywhere and in everything."

"Everywhere?" exclaimed Jonathan.
"Where is He? I can't see him."
"God isn't *somebody*," Mom explained.
"God shows Himself in all kinds of shapes
and colors. For example…"

"אִמָּא, אֵיךְ אֶפְשָׁר לְהַגִּיעַ לַשָּׁמַיִם?" שָׁאַל יוֹנָתָן.
"יוֹנָתָן מָתוֹק שֶׁלִּי, לָמָּה לְךָ לְהַגִּיעַ לַשָּׁמַיִם?" שָׁאֲלָה אִמָּא.
"גַּלִי אָמְרָה שֶׁאֱלֹקִים בַּשָּׁמַיִם וְשֶׁהוּא יִכָּנֵס אִתִּי לַמַּיִם וְיִשְׁמֹר עָלַי".

אִמָּא חִיְּכָה חִיּוּךְ גָּדוֹל וְאָמְרָה:
"יוֹנָתָן אָהוּב, אֱלֹקִים נִמְצָא בְּכָל מָקוֹם, וּבְכָל דָּבָר".

"בְּכָל מָקוֹם!? אֵיפֹה הוּא? אֲנִי לֹא רוֹאֶה אוֹתוֹ..."
הִתְפַּלֵּא יוֹנָתָן וְהִתְיַשֵּׁב לְיַד אִמָּא.
"אֱלֹקִים זֶה לֹא 'מִישֶׁהוּ'," הִסְבִּירָה אִמָּא,
"אֱלֹקִים מִתְגַּלֶּה בְּכָל מִינֵי צוּרוֹת וּצְבָעִים. לְמָשָׁל..."

"At the end of the summer, clouds appear bringing rain. The rain waters the dry ground and the fields."

"God is the clouds, He's the rain and He's the earth that drinks its fill of water."

"God is the clouds, the rain, the earth?" Jonathan found it hard to understand.

בְּסוֹף הַקַּיִץ יָבוֹאוּ עֲנָנִים שֶׁיּוֹרִידוּ גֶּשֶׁם. הַגֶּשֶׁם יַשְׁקֶה אֶת הָאֲדָמָה הַיְבֵשָׁה וְאֶת הַשָּׂדוֹת. אֱלֹקִים הוּא הָעֲנָנִים, הוּא הַגֶּשֶׁם, וְהוּא הָאֲדָמָה שֶׁשּׁוֹתָה לִרְוָיָה".

"אֱלֹקִים הוּא הָעֲנָנִים, הַגֶּשֶׁם וְהָאֲדָמָה?" הִתְקַשָּׁה יוֹנָתָן לְהַאֲמִין.

"Yes, and when the sun comes to spread warmth, the rain gradually stops and the plants begin to grow. God is the sun and the light and also the plants."

"And if there's a rainbow?" asked Jonathan.

"The rainbow is also God, with all its beautiful colors."

"כֵּן, וּכְשֶׁתָּבוֹא הַשֶּׁמֶשׁ הַמְחַמֶּמֶת, הַגֶּשֶׁם לְאַט לְאַט יִפָּסֵק וְהַצְּמָחִים יָחֵלּוּ לָצֵאת.
אֱלֹקִים הוּא הַשֶּׁמֶשׁ וְהָאוֹר, וְהוּא הַצְּמָחִים."
"וְאִם תִּהְיֶה קֶשֶׁת?" שָׁאַל יוֹנָתָן. "הַקֶּשֶׁת הִיא גַּם אֱלֹקִים, בִּשְׁלַל צְבָעִים יְפֵהפִיִּים," אָמְרָה אִמָּא.

פִּתְאֹם חָלְפָה לָהּ בַּשָּׁמַיִם לַהֲקַת חֲסִידוֹת.
"אִמָּא, אָז גַּם הַצִּפֳּרִים... הֵן אֱלֹקִים?"
"כֵּן, חָמוּד."
"גַּם הַחוֹל וְהַיָּם?" שָׁאַל יוֹנָתָן.
" כֵּן, בְּדִיּוּק..."
"הַדָּגִים וְכָל הַחַיּוֹת!?"
"כֵּן, בְּכָל דָּבָר עַל פְּנֵי הָאָרֶץ
יֵשׁ מַשֶּׁהוּ מֵאֱלֹקִים," אָמְרָה אִמָּא.
"וָואוּ... הַכֹּל זֶה אֱלֹקִים!!!" הִתְרַגֵּשׁ יוֹנָתָן.

Suddenly overhead a flock of storks
flew by. “Mommy, so also the birds…
they’re God?”
“Yes, sweetheart.”
“And the sand and the sea?”
“Yes, exactly,” said Mom.
“The fish and all the animals?”
“Yes,” said Mom,
“everything on earth has something of God.”
“Wow!” exclaimed Jonathan excitedly. “All that is God!!!”

"I'll tell you a secret," continued Mom. "Every person, child and grownup, has something of God." Mom closed her eyes and took a deep breath.

"God gives us strength to live, not to be afraid and to do things that we want, exactly as He gives strength to the sun to shine after the rain, to the little seeds to grow into flowers and to the caterpillars to turn into fabulous butterflies."

"וַאֲגַלֶּה לְךָ סוֹד," הִמְשִׁיכָה אִמָּא, "בְּכָל אָדָם, יֶלֶד וּמְבֻגָּר יֵשׁ מַשֶּׁהוּ מֵאֱלֹקִים."

אִמָּא עָצְמָה אֶת הָעֵינַיִם וְנָשְׁמָה נְשִׁימָה עֲמֻקָּה.

"אֱלֹקִים נוֹתֵן לָנוּ כֹּחַ לִחְיוֹת, לֹא לְפַחֵד, וְלַעֲשׂוֹת אֶת כָּל הַדְּבָרִים שֶׁאֲנַחְנוּ רוֹצִים לַעֲשׂוֹת.

בְּדִיּוּק כְּמוֹ שֶׁהוּא נוֹתֵן כֹּחַ לַשֶּׁמֶשׁ לָצֵאת אַחֲרֵי הַגֶּשֶׁם,

לַזֶּרַע הַקָּטָן לִצְמֹחַ לְפֶרַח וְלַזַּחַל לַהֲפֹךְ לְפַרְפָּר יְפֵהפֶה."

"Mommy, how do I know I have something from God?" asked Jonathan.
"Ah… every time you do something special, like building that sand castle… or when you do something you were really scared of doing, then you can feel God right here." Mom put her hand over the place where you feel your heart beating.
"God is always inside you and He gives you strength from inside."

"אִמָּא, אֵיךְ אֲנִי אֵדַע אִם גַּם לִי יֵשׁ מַשֶּׁהוּ מֵאֱלֹקִים?" שָׁאַל יוֹנָתָן
"אֲהָהּ... בְּכָל פַּעַם שֶׁאַתָּה עוֹשֶׂה מַשֶּׁהוּ
נִפְלָא, כְּמוֹ הָאַרְמוֹן שֶׁבָּנִיתָ בַּחוֹל...
אוֹ כְּשֶׁאַתָּה עוֹשֶׂה מַשֶּׁהוּ
שֶׁמְּאֹד פָּחַדְתָּ לַעֲשׂוֹת,
אַתָּה מַרְגִּישׁ אֶת אֱלֹקִים פֹּה."
אִמָּא הִנִּיחָה אֶת יָדָהּ בַּמָּקוֹם
שֶׁבּוֹ מַרְגִּישִׁים אֶת הַלֵּב.
"אֱלֹקִים נִמְצָא בְּתוֹכְךָ תָּמִיד
וְהוּא נוֹתֵן לְךָ כֹּחַ מִבִּפְנִים."

Mom finished nursing Lilly
and said to Jonathan,
"Come, let's go into the
sea together."

Jonathan stood up and
stepped out of his swim ring.
He put his hand where
he could feel his heart.
"Does God really give
me strength to do things
I'm scared to do?"
"Always." said Mom.

"Mommy, I think I can go in the sea alone," decided Jonathan.
Mom smiled and gave him a huge hug.

אִמָּא סִיְּמָה לְהָנִיק אֶת לִילִי וְאָמְרָה לְיוֹנָתָן:
"בּוֹא נִכָּנֵס יַחַד לַמַּיִם." יוֹנָתָן קָם וְהוֹרִיד מֵעָלָיו אֶת גַּלְגַּל הַהַצָּלָה.
הוּא שָׂם יָד, בַּמָּקוֹם שֶׁבּוֹ מַרְגִּישִׁים אֶת הַלֵּב, וְשָׁאַל:
"אֱלֹקִים בֶּאֱמֶת נוֹתֵן לִי כֹּחַ לַעֲשׂוֹת דְּבָרִים שֶׁאֲנִי פּוֹחֵד לַעֲשׂוֹת?" "תָּמִיד," הֵשִׁיבָה אִמָּא.
"אִמָּא, אֲנִי חוֹשֵׁב שֶׁאֲנִי יָכוֹל לְהִכָּנֵס לְבַד לַמַּיִם," אָמַר יוֹנָתָן.
אִמָּא חִיְּכָה וְנָתְנָה לְיוֹנָתָן חִבּוּק גָּדוֹל גָּדוֹל.

Jonathan ran happily to the waves …

and since then, whenever he's scared,
he puts his hand exactly over
his heart and remembers...

יוֹנָתָן רָץ מְאֻשָּׁר אֶל הַגַּלִּים ...

וּבְכָל פַּעַם שֶׁיּוֹנָתָן קְצָת פּוֹחֵד,
הוּא שָׂם יָד בְּדִיּוּק עַל הַלֵּב וְנִזְכָּר ...